Is umhal a iarrann
Léig na Sióg Coimirce
saorghluaiseacht, cuidiú agus cosaint
don té a iompraíonn an pas seo
i dTír na Sióg agus lastall di.

Tháinig an cailín beag chuig an áit nua.
D'fhan sí, d'éist sí agus chuala sí.

Chuala sí guth beag bídeach ag caint
léi ón ghairdín.

'Psst! Cá has ar tháinig tú?' arsa an seangán séimh mórthónach.

'Cá bhfuil tú ag dul?' arsa an phéist
fhada shrónach go fiosrach.

'Cé thú féin?' arsa an bheach cholgach.

'An bhfuil tú go cinnte anseo?' arsa an tsnáthaid
mhór chríonna go ceisteach.

'Is deacair tú a aimsiú gan do scáil.'

Baineadh geit as an chailín bheag.
D'amharc sí. Is cinnte go raibh
an ceart ag an tsnáthaid mhór.
Ní raibh scáil aici.

Cá raibh a scáil?

Chas sí agus chrom sí.
D'iompaigh sí agus shleamhnaigh sí.
Ach cibé bealach a bhog sí,
ní raibh aon scáil ann le léim léi.

Bhí an scáil s'aici múchta.
Múchta briste.
Níorbh fhéidir an scáil
a dheisiú.

Tá ganntanas scáile scáfar!

Bhí croí an chailín ag
preabadh, cuisle a
croí ag léim.

Chúlaigh sí chuig a háit bheag
dhraíochta féin.

Go sona suaimhneach a sheol sí léi,

isteach sa leabhar, isteach sna crainn.

Slán sábhailte
a bhí sí
faoi gheasa sa choill.

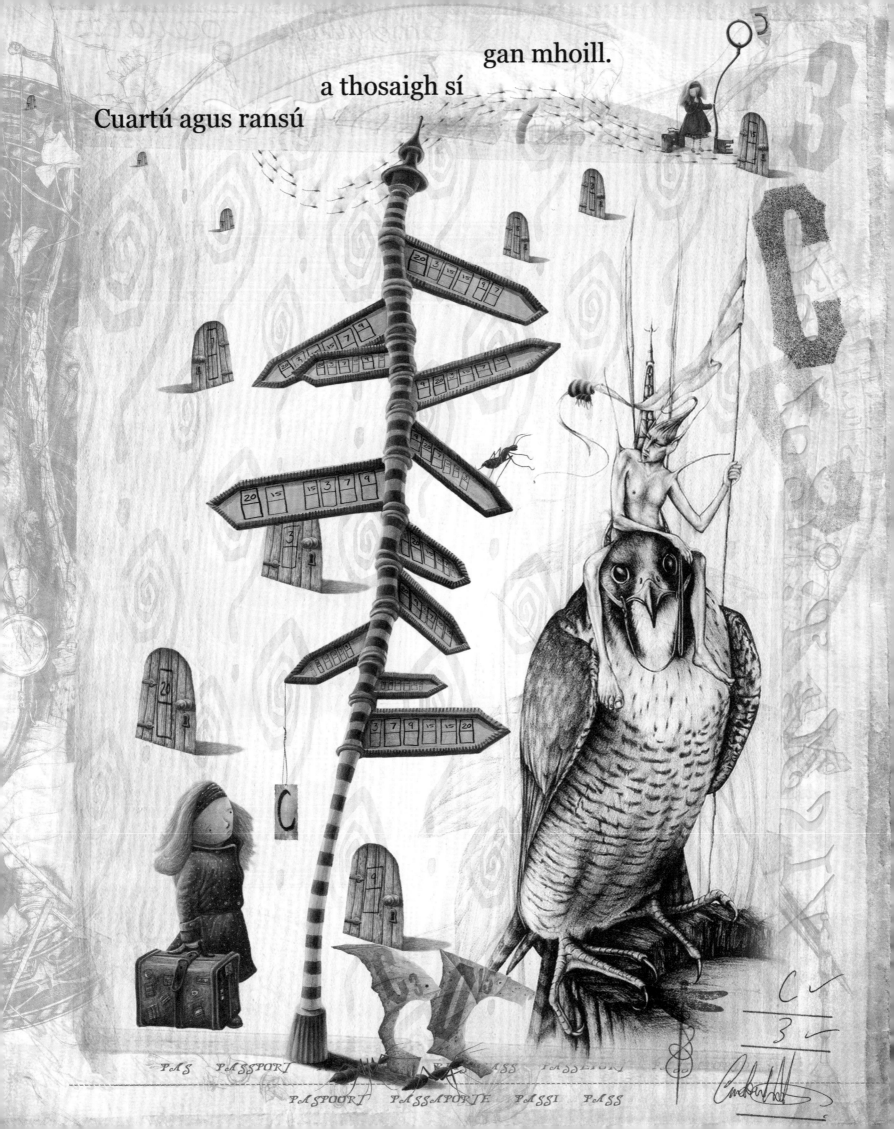

Cuartú agus ransú a thosaigh sí gan mhoill.

D'iompaigh sí

agus

shleamhnaigh sí.

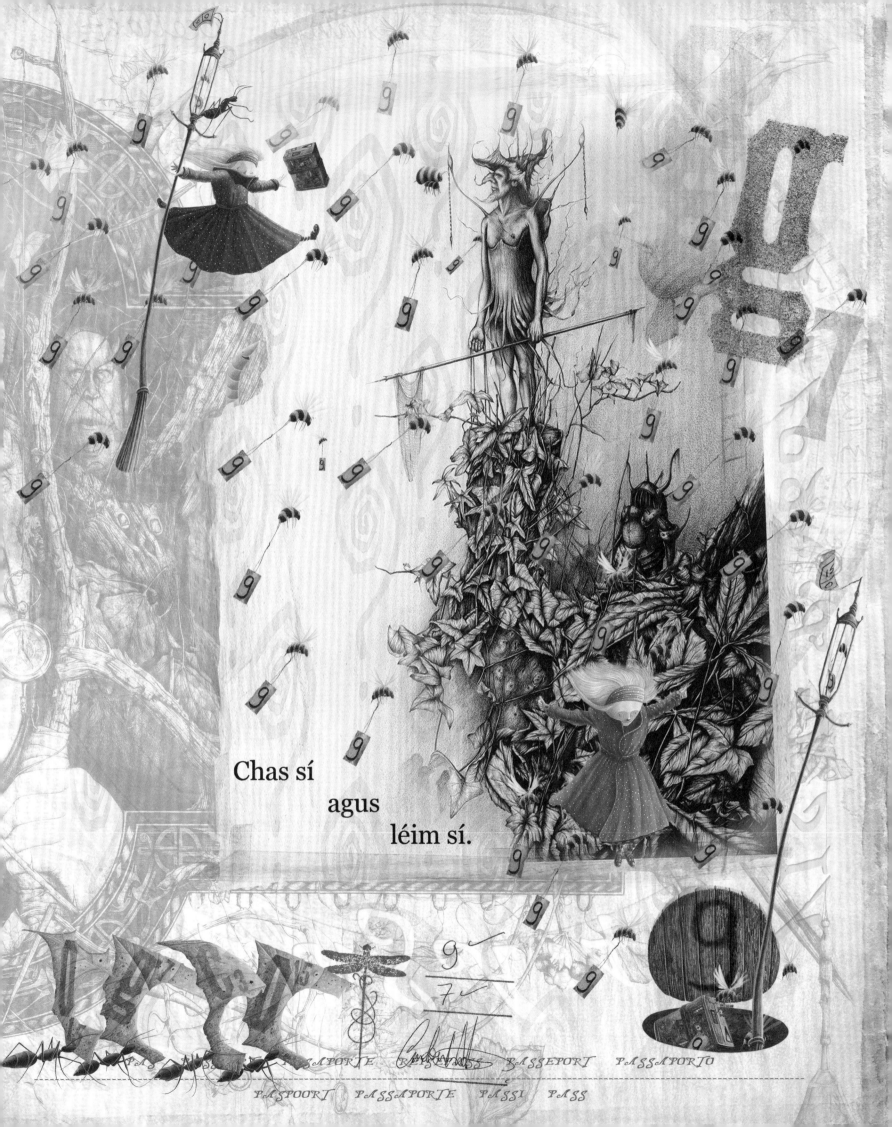

Chas sí

agus

léim sí.

Rogha agus togha a rinne sí go mall.
Bhí taisce litreacha aici ar ball.

Go lúfar láidir a lean sí.

Bhailigh sí agus
chruinnigh sí neart.

Bhí réiteach agus socrú
i ngach aon bheart.

Rinne sí tóraíocht ar an taisce
's meabhrú meidhreach.

Gan stad, staonadh ná stop!

Bhí taisce litreacha faighte, patrún draíochta déanta.

Anois bhí sí cinnte go raibh siad go léir curtha i gceart...

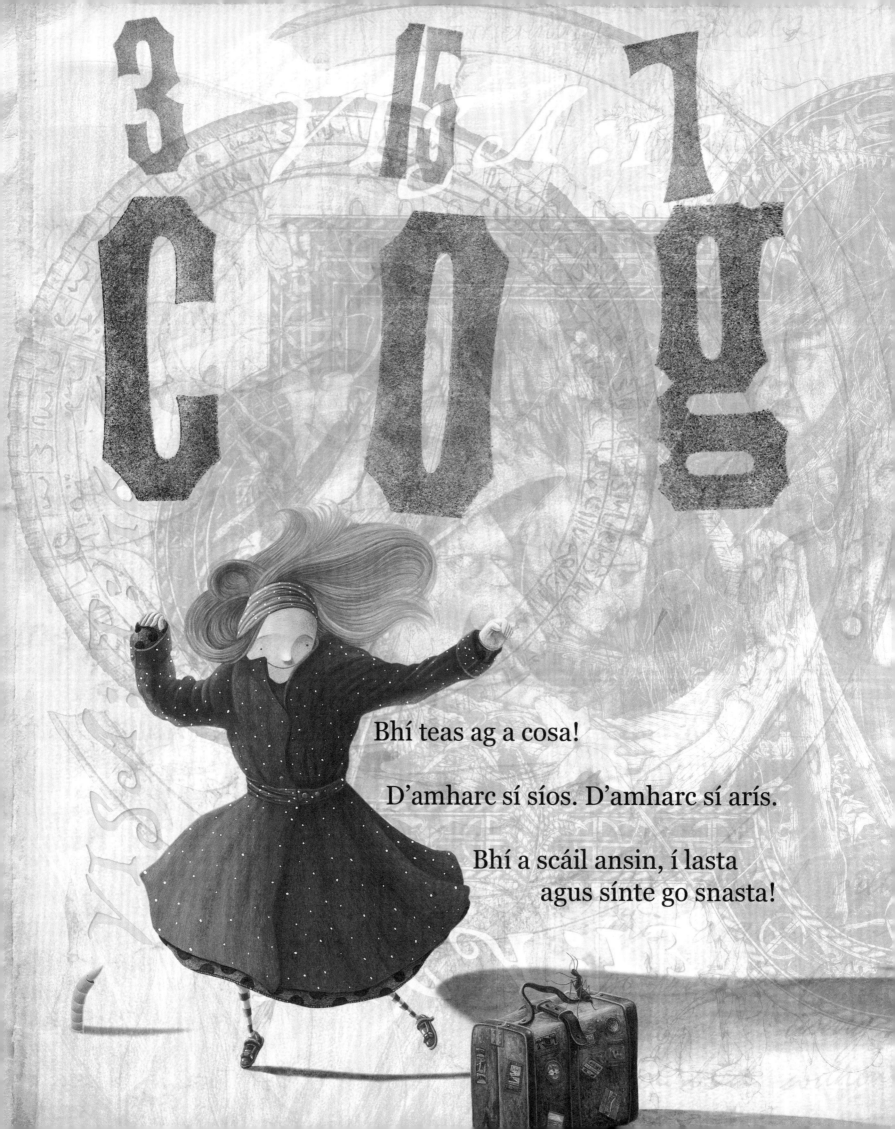

Bhí teas ag a cosa!

D'amharc sí síos. D'amharc sí arís.

Bhí a scáil ansin, í lasta
agus sínte go snasta!

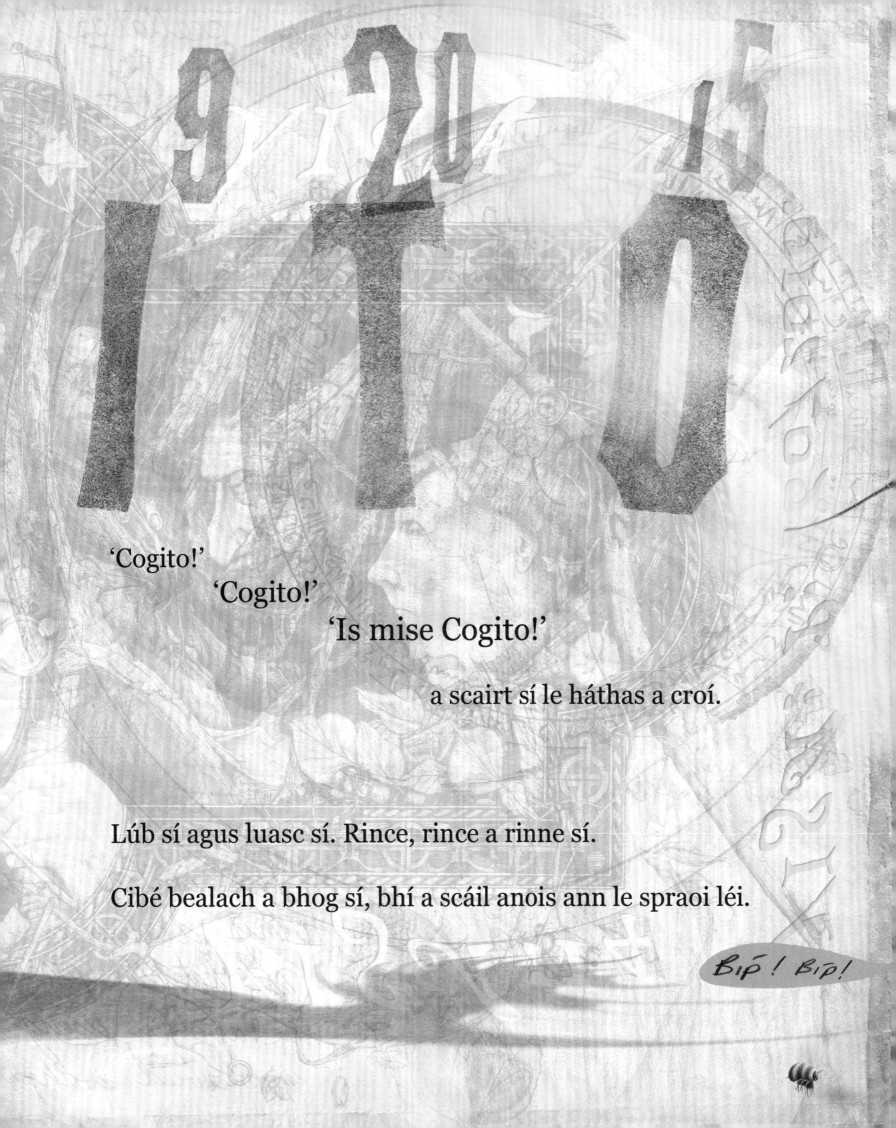

'Cogito!'

'Cogito!'

'Is mise Cogito!'

a scairt sí le háthas a croí.

Lúb sí agus luasc sí. Rince, rince a rinne sí.

Cibé bealach a bhog sí, bhí a scáil anois ann le spraoi léi.

Bíp! Bíp!

Sheol Cogito léi ...
agus cuisle a croí ag ceol.

Tháinig Cogito chuig a háit nua. D'fhan sí agus d'éist sí.
Chuala sí guth fial fáilteach.

'An bhfuil tú go cinnte anseo?'

'Go cinnte! Is mise Cogito.
Is anseo a bheas mé ag fanacht.'

ÉIGEANDÁLAÍ

Is ceart don sealbhóir sonraí a thabhairt anseo thíos faoi ghaol nó cara a bhféadfar dul i dteagmháil leo i gcás timpiste do tharlú:

(Is ceart don sealbhóir aon leasuithe a dhéanamh ar dhuilleog páipéir agus é sin a ghreamú den leathanach lastall)

An tSnáthaid Mhór Chríonna

Ainm

Sa ghairdín

Seoladh

114   2019141208194   1381518 - 381891514141

Teileafón

ríoga

Fuilghrúpa
(Le líonadh de rogha an tsealbhóra)

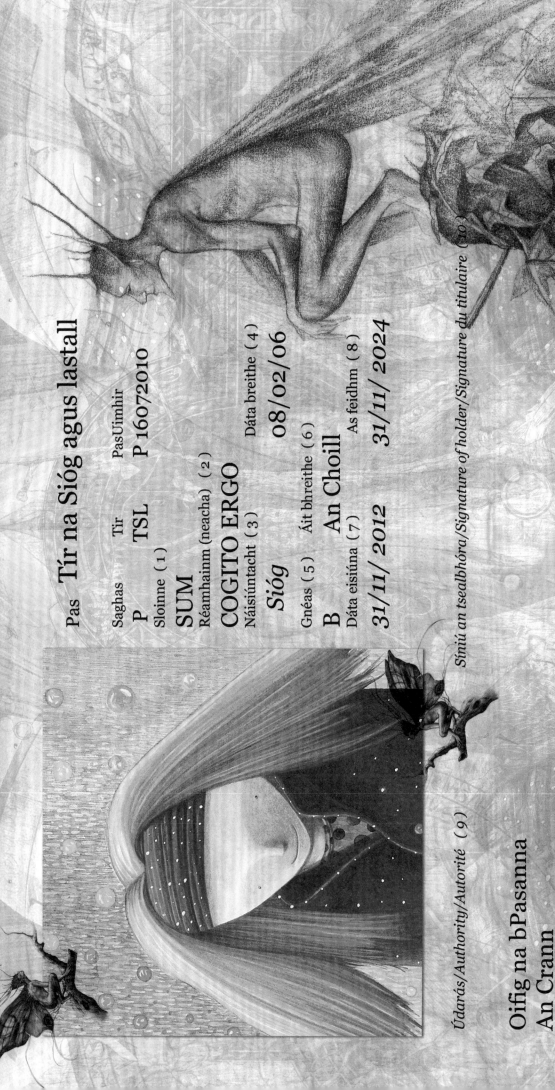

Pas **Tír na Sióg agus lastall**

Saghas   Tír   PasUimhir

P   **TSL**   P 16072010

Sloinne (1)

SUM

Réamhainm (neacha) (2)

COGITO ERGO

Náisiúntacht (3)   Dáta breithe (4)

Sióg   08/02/06

Gnéas (5)   Áit bhreithe (6)

B   **An Choill**

Dáta eisiúna (7)   As feidhm (8)

31/11/ 2012   31/11/ 2024

Síniú an tsealbhóra/Signature of holder/Signature du titulaire (10)

Údarás/Authority/Autorité (9)

Oifig na bPasanna
An Crann

P<TSLSUM<<COGITOERGO<<<<<<<<<<<<<<<<<<<<<<

P16072010<<5TSL0903154F2411314<<<<<<<<<<<0